A-Z CHICHESTER, BOGNOR REGIS & LITTLEHA...

CW00382524

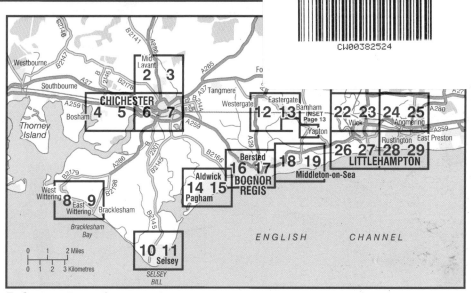

Reference

A Road	A259	**Built Up Area**
Under Construction		**Local Authority Boundary**
Proposed		**Postcode Boundary**
B Road	B2233	**Map Continuation** 20
Dual Carriageway		**Car Park** Selected 🅿
One Way Street Traffic flow on A roads is indicated by a heavy line on the drivers' left.		**Church or Chapel** †
		Fire Station ■
Pedestrianized Road		**Hospital** Ⓗ
Restricted Access		**House Numbers** A & B Roads only
Track and Footpath		
Residential Walkway		**Information Centre** ℹ
Railway Level Crossing / Station		**National Grid Reference** 293
		Police Station ▲

Post Office ★

Toilet with Facilities for the Disabled ▽ ♿

Educational Establishment

Hospital or Health Centre

Industrial Building

Leisure or Recreational Facility

Place of Interest

Public Building

Shopping Centre or Market

Other Selected Buildings

Scale 1:15,840

0 ¼ ½ Mile
0 250 500 750 Metres 1 Kilometre

4 inches (10.16 cm) to 1 mile
6.31cm to 1kilometre

Geographers' A-Z Map Company Limited

Head Office : Fairfield Road, Borough Green, Sevenoaks, Kent TN15 8PP Tel: 01732 781000
Showrooms : 44 Gray's Inn Road, London WC1X 8HX Tel: 020 7440 9500

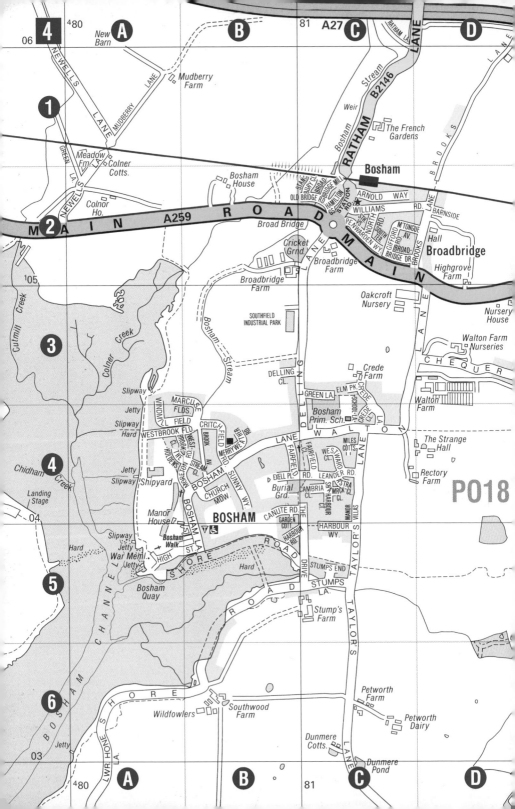

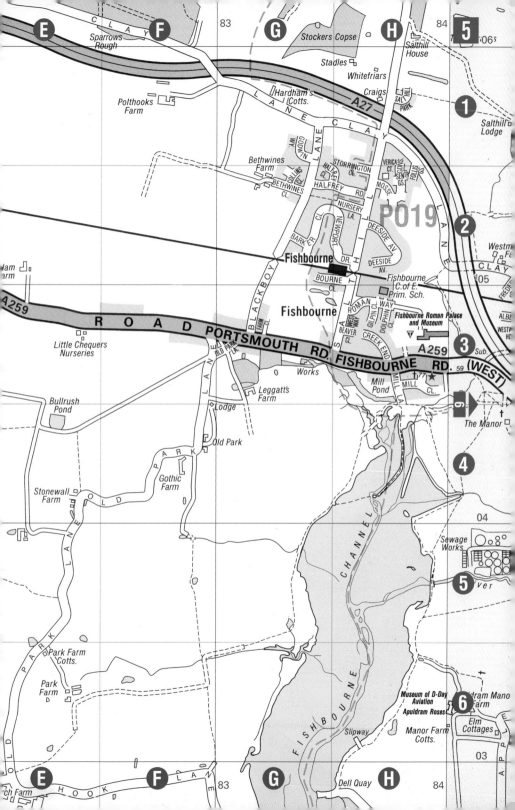

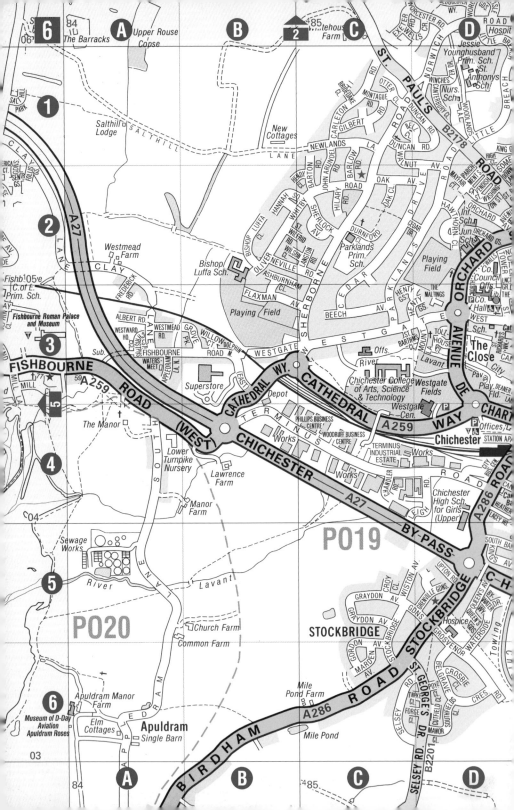

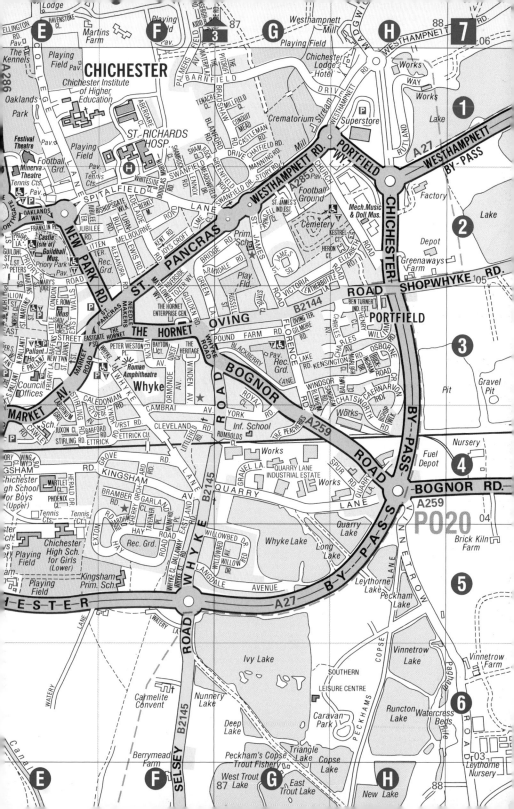

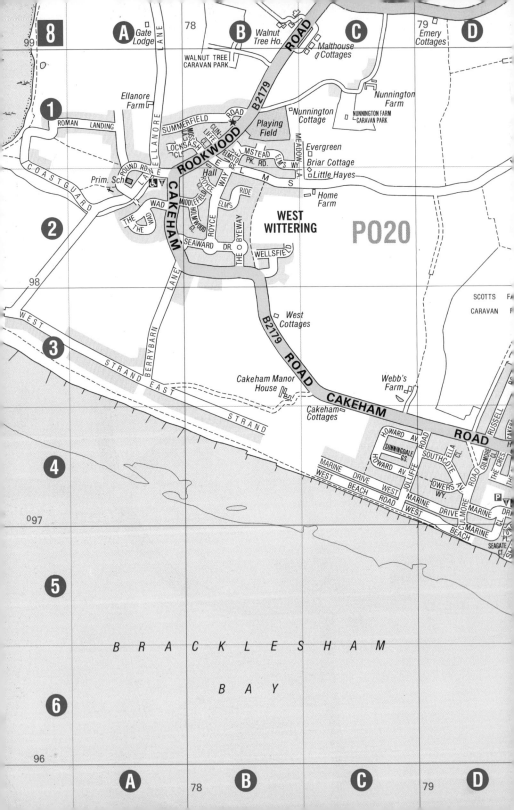

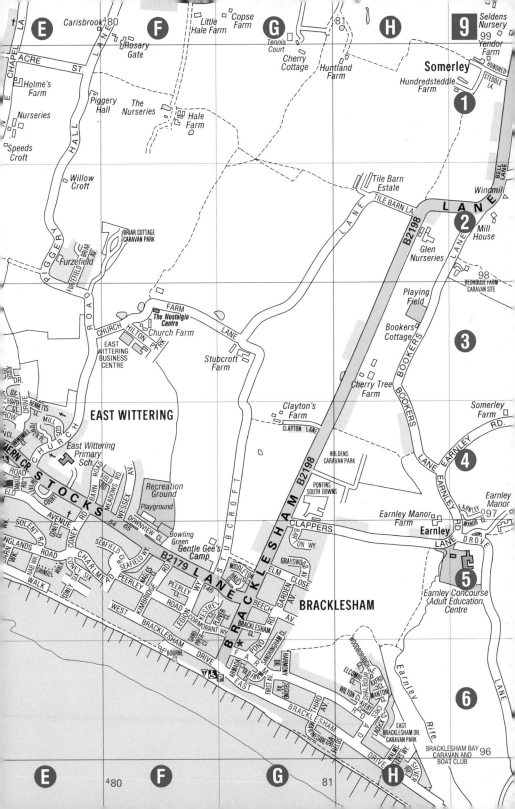

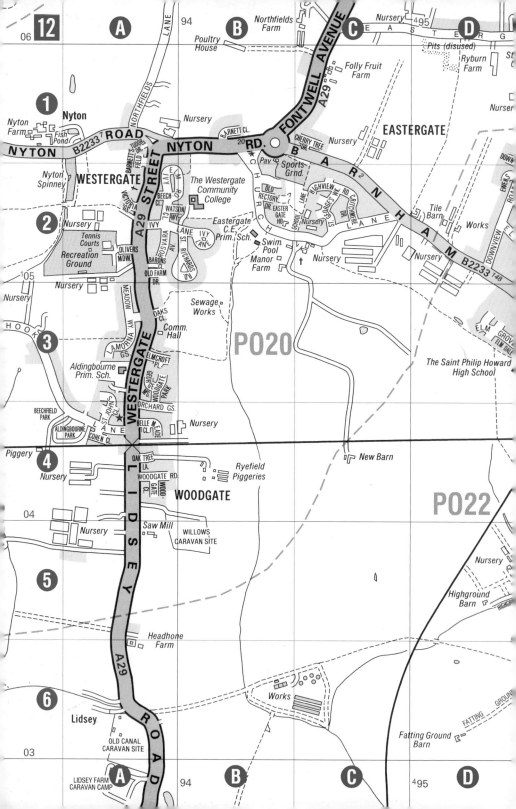

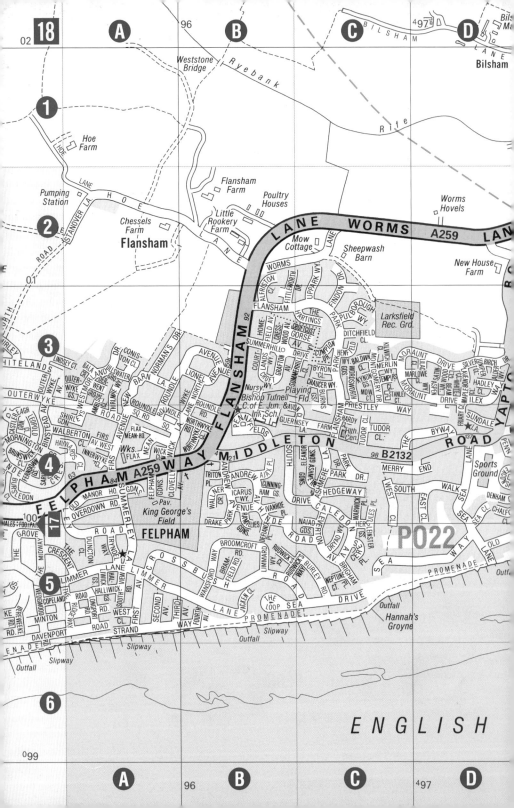

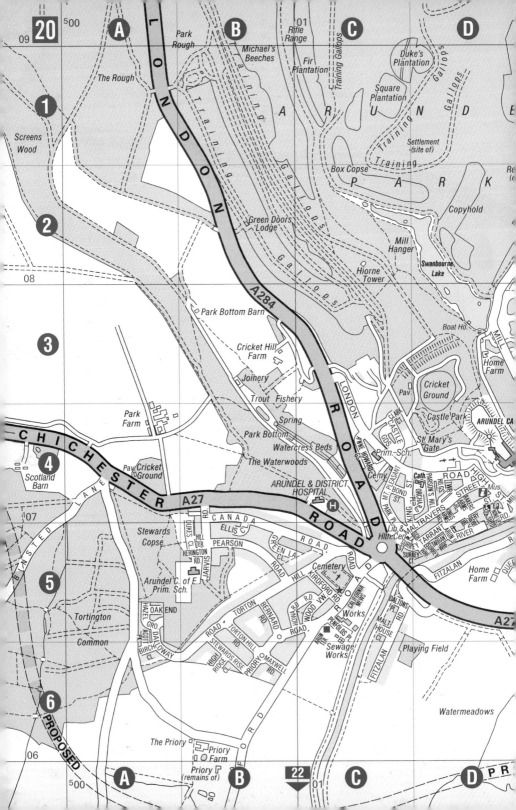

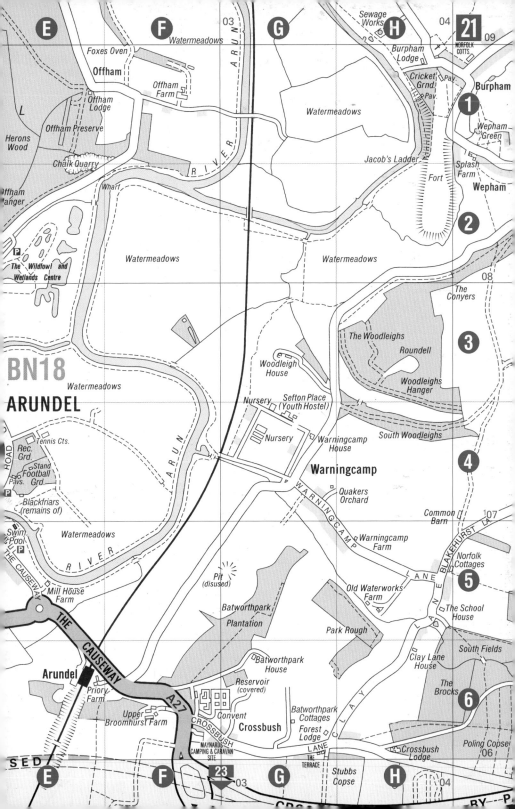

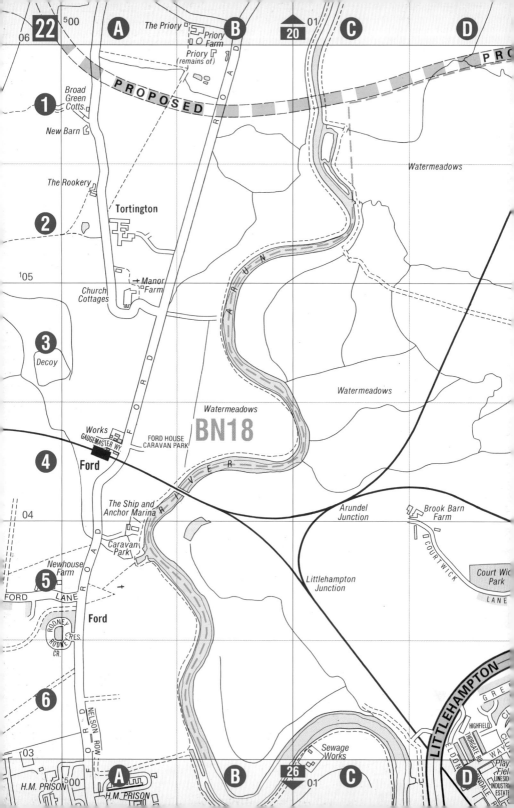

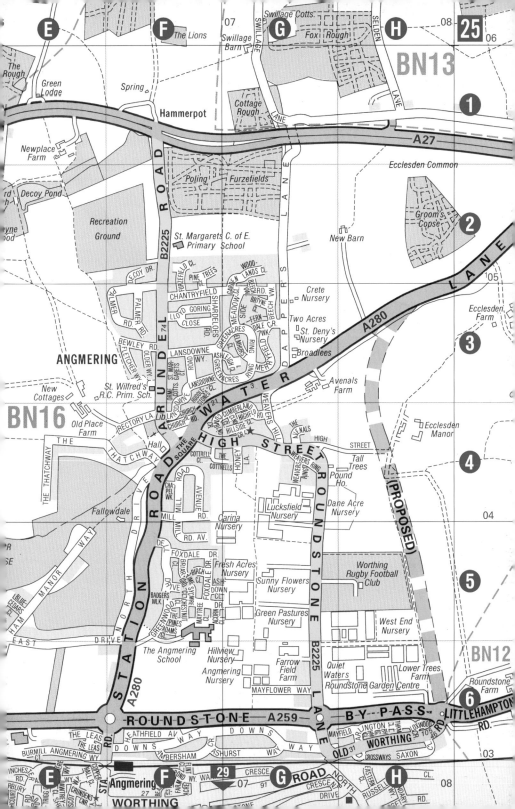

INDEX TO STREETS

Including Industrial Estates and a selection of Subsidiary Addresses.

HOW TO USE THIS INDEX

1. Each street name is followed by its Postal District and then by its map reference; e.g. Abbottsbury. *Bog R* —5C **14** is in the Bognor Regis Posttown and is to be found in square 5C on page **14**.
   A strict alphabetical order is followed in which Av., Rd., St., etc. (though abbreviated) are read in full and as part of the street name; e.g. Apple Gro. appears after Appledram La. S. but before Appletree Dri.

2. Streets and a selection of Subsidiary names not shown on the Maps, appear in the index in *Italics* with the thoroughfare to which it is connected shown in brackets; e.g. *Alpha Ct. Lit —2E* **27** *(off Terminus Rd.)*

GENERAL ABBREVIATIONS

All : Alley	Cotts : Cottages	La : Lane	Ri : Rise
App : Approach	Ct : Court	Lit : Little	Rd : Road
Arc : Arcade	Cres : Crescent	Lwr : Lower	Shop : Shopping
Av : Avenue	Cft : Croft	Mc : Mac	S : South
Bk : Back	Dri : Drive	Mnr : Manor	Sq : Square
Boulevd : Boulevard	E : East	Mans : Mansions	Sta : Station
Bri : Bridge	Embkmt : Embankment	Mkt : Market	St : Street
B'way : Broadway	Est : Estate	Mdw : Meadow	Ter : Terrace
Bldgs : Buildings	Fld : Field	M : Mews	Trad : Trading
Bus : Business	Gdns : Gardens	Mt : Mount	Up : Upper
Cvn : Caravan	Gth : Garth	N : North	Va : Vale
Cen : Centre	Ga : Gate	Pal : Palace	Vw : View
Chu : Church	Gt : Great	Pde : Parade	Vs : Villas
Chyd : Churchyard	Grn : Green	Pk : Park	Wlk : Walk
Circ : Circle	Gro : Grove	Pas : Passage	W : West
Cir : Circus	Ho : House	Pl : Place	Yd : Yard
Clo : Close	Ind : Industrial	Quad : Quadrant	
Comn : Common	Junct : Junction	Res : Residential	

POSTTOWN AND POSTAL LOCALITY ABBREVIATIONS

Ald : Aldingbourne	*Cross* : Crossbush	*Hal* : Halnaker	*Rust* : Rustington
Aldw : Aldwick	*Earn* : Earnley	*King* : Kingsham	*Sel* : Selsey
Ang : Angmering	*East* : Eastergate	*Lav* : Lavant	*S Ber* : South Bersted
Arun : Arundel	*Easth* : Easthampnett	*Lit* : Littlehampton	*Walb* : Walberton
Bar : Barnham	*E Lav* : East Lavant	*Lym* : Lyminster	*Warn* : Warningcamp
Bin : Binsted	*E Pre* : East Preston	*Mid S* : Middleton-on-Sea	*W Bro* : West Broyle
Bir : Birdham	*E Wit* : East Wittering	*N Ber* : North Bersted	*Wes* : Westergate
Bog R : Bognor Regis	*Elmer* : Elmer	*N Mun* : North Mundham	*Westh* : Westhampnett
Bosh : Bosham	*Fel* : Felpham	*Pag* : Pagham	*W Lav* : West Lavant
Bra B : Bracklesham Bay	*Fer* : Ferring	*Pat* : Patching	*W Wit* : West Wittering
Bur : Burpham	*Fish* : Fishbourne	*Pol* : Poling	*Wick* : Wick
Chich : Chichester	*Ford* : Ford	*R Grn* : Rose Green	*Wood* : Woodgate
Clim : Climping	*Good* : Goodwood	*Runc* : Runcton	*Yap* : Yapton

INDEX TO STREETS

Abbotswood Wlk. *Rust* —3C **28**
Abbottsbury. *Bog R* —5C **14**
A'Becket's Av. *Bog R* —4D **14**
Aberdare Clo. *Chich* —1F **7**
Acorn Clo. *Ang* —5F **25**
Acorn Clo. *Sel* —3B **10**
Acorn End. *Bog R* —3F **15**
Acott Way. *Chich* —6D **6**
Acre Clo. *Rust* —1B **28**
Acre St. *W Wit* —1E **9**
Adams Ter. *Chich* —6D **2**
Addison Way. *Bog R* —1C **16**
Adelaide Rd. *Chich* —2F **7**
Admirals Wlk. *Lit* —1A **28**
Admiralty Gdns. *Bog R* —5H **17**
Admiralty Rd. *Bog R* —4G **17**
Aigburth Av. *Bog R* —2F **15**
Ajax Pl. *Bog R* —4B **18**
Albert Rd. *Bog R* —5E **17**
Albert Rd. *Chich* —3A **6**
Albert Rd. *Lit* —2F **27**
Albert Rd. *Rust* —1C **28**
Albion Rd. *Sel* —5E **11**
Alborough Way. *Bog R* —3F **15**
Aldbourne Dri. *Bog R* —3F **15**
Aldermans Wlk. *Chich* —2E **7**

Alder Way. *Bog R* —3D **18**
Aldingbourne Pk. *Ald* —4A **12**
Aldwick Av. *Bog R* —3H **15**
Aldwick Clo. *Rust* —4B **28**
Aldwick Felds. *Bog R* —2G **15**
Aldwick Gdns. *Bog R* —2H **15**
Aldwick Hundred. *Bog R*
   —4G **15**
Aldwick Pl. *Bog R* —3H **15**
Aldwick Rd. *Bog R* —3G **15**
Aldwick St. *Bog R* —3G **15**
Alexander Clo. *Bog R* —3G **15**
Alexandra Rd. *Chich* —2F **7**
Alfred Clo. *Bog R* —4E **19**
Alfriston Clo. *Bog R* —3B **18**
Allandale Clo. *Sel* —3E **11**
Allangate Dri. *Rust* —1D **28**
Alleyne Way. *Bog R* —4B **18**
Alperton Clo. *Bog R* —3E **15**
Alpha Ct. Lit —2E **27**
   (off Felpham Rd.)
Amberley Clo. *Lit* —1G **27**
Amberley Dri. *Bog R* —1H **15**
Amberley Rd. *Rust* —3C **28**
Ambersham Cres. *E Pre* —6F **25**
Ambleside Clo. *Bog R* —3A **18**

Anchor Springs. *Lit* —2F **27**
Ancton Clo. *Bog R* —4E **19**
Ancton Dri. *Bog R* —4F **19**
Ancton La. *Bog R* —3E **19**
Ancton La. Cvn. Site. *Bog R*
   —3F **19**
Ancton Lodge La. *Bog R* —4F **19**
Ancton Way. *Bog R* —4F **19**
Andrew Av. *Bog R* —4B **18**
Andrew Clo. *Rust* —1B **28**
Angmering La. *E Pre* —3E **29**
Angmering Way. *Rust* —6E **25**
Annandale Av. *Bog R* —4D **16**
Anne Howard Gdns. *Arun*
   —4C **20**
Anson Rd. *Bog R* —3D **14**
Answorth Clo. *Chich* —6F **3**
Appledram La. N. *Chich* —3A **6**
Appledram La. S. *Chich* —6A **6** .
Apple Gro. *Bog R* —4D **14**
Appletree Dri. *Bar* —3E **13**
Appletrees. *E Pre* —3H **29**
Arcade Rd. *Lit* —2F **27**
Arcade, The. Lit —2F **27**
   (off Arcade Rd.)

Argyle Cir. Bog R —5D **16**
   (off Argyle Rd.)
Argyle Rd. *Bog R* —6D **16**
Arlington Cres. *E Pre* —6H **25**
Armada Ct. *Bra B* —6G **9**
Armadale Rd. *Chich* —2F **7**
Armada Way. *Lit* —1A **28**
Arndale Rd. *Wick* —1D **26**
Arnell Av. *Sel* —4D **10**
Arnhem Rd. *Bog R* —3C **16**
Arnold Way. *Bosh* —2C **4**
Artex Av. *Rust* —6C **24**
Arun Bus. Pk. *Bog R* —2F **17**
Arun Clo. *Rust* —1C **28**
Arun Ct. *E Pre* —2G **29**
Arundel Clo. *Bog R* —4B **16**
Arundel Dri. *Wick* —4E **23**
Arundel Gdns. *Rust* —2C **28**
Arundel Rd. *Ang* —4F **25**
Arundel Rd. *Lit* —1F **27**
Arundel Way. *Bog R* —4G **19**
Arun Pde. *Lit* —3F **27**
Arun Retail Pk. *Bog R* —2F **17**
Arun Rd. *Bog R* —4B **16**
Arun St. *Arun* —5D **20**
Arun Ter. *Arun* —6C **20**

Arun Way. *Bog R* —5D **14**
(in two parts)
Ascot Clo. *W Wit* —3E **9**
Ascot Way. *Rust* —1E **29**
Ashburnham Clo. *Chich* —2B **6**
Ashcroft. *Bog R* —6C **14**
Ashdown Clo. *Ang* —5F **25**
Ash Gro. *Bog R* —1D **16**
Ash Gro. Ind. Pk. *Bog R* —1E **17**
Ash La. *Rust* —2C **28**
Ashleigh Clo. *Ang* —3G **25**
Ashmere Gdns. *Bog R* —4C **18**
Ashmere La. *Bog R* —4C **18**
Ashton Gdns. *Rust* —3C **28**
Ashurst Clo. *Bog R* —2B **16**
Ashurst Way. *E Pre* —6F **25**
Ashwood Dri. *Rust* —2C **28**
Aspen Way. *Bog R* —3D **18**
Astra Clo. *Bosh* —4C **4**
Avebury Clo. *Bra B* —6H **9**
Avenals, The. *Ang* —4G **25**
Avenue App. *Chich* —2D **6**
Avenue de Chartres. *Chich*
—3D **6**
Avenue, The. *Bog R* —5C **16**
Avenue, The. *Chich* —5D **2**
Avian Gdns. *Bog R* —3D **14**
Avisford Pk. Rd. *Walb* —1H **13**
Avon Clo. *Bog R* —4C **18**
Avon Rd. *Lit* —2F **27**
Axford Clo. *Bra B* —6H **9**

Babsham La. *Bog R* —1A **16**
Badgers Wlk. *Ang* —5F **25**
Baffins La. *Chich* —3E **7**
Bailey Clo. *Lit* —6A **24**
Baker Gro. *Bog R* —1G **15**
Bakers Arms Hill. *Arun* —4D **20**
Bala Cres. *Bog R* —3A **18**
Baldwin Clo. *Bog R* —3C **18**
Balliol Clo. *Bog R* —1G **15**
Balmoral Clo. *Bog R* —3G **15**
Balmoral Clo. *Chich* —3H **7**
Banjo Rd. *Lit* —4G **27**
Bank Vw. Clo. *Bog R* —4E **17**
Barford Rd. *Chich* —4E **7**
Barker Clo. *Chich* —2G **5**
Barley Clo. *Bog R* —3B **14**
Barlow Rd. *Chich* —2C **6**
Barn Clo. *Wick* —5G **23**
Barnes Clo. *Sel* —6D **10**
Barnett Clo. *East* —1B **12**
Barnett's Field. *Wes* —2A **12**
Barnfield. *Bog R* —4G **17**
Barnfield Dri. *Chich* —1F **7**
Barnham La. *Bar & Walb*
—4F **13**
Barnham Rd. *East & Bar*
—1C **12**
Barn Rise. *Bar* —4F **13**
Barn Rd. *E Wit* —4E **9**
Barnside. *Bosh* —2D **4**
Barnsite Clo. *Rust* —1B **28**
Barnsite Gdns. *Rust* —1B **28**
Barn Wlk. *E Wit* —5E **9**
Barons Clo. *Wes* —2A **12**
Barons Mead. *Bog R* —5C **14**
Barque Clo. *Lit* —1A **28**
Barrack La. *Bog R* —5E **15**
Barton Ct. *Rust* —2B **28**
Barton Rd. *Bog R* —1B **16**
Barton Way. *Bra B* —5G **9**
Barwick Clo. *Rust* —6B **24**
Basin Rd. *Chich* —4D **6**

Bassett Rd. *Bog R* —6D **16**
Bayford Rd. *Lit* —3F **27**
Bayton Ct. *Chich* —3F **7**
Bay Trees Clo. *E Pre* —2F **29**
Bay Trees Gdns. *E Pre* —2F **29**
Bay Wlk. *Bog R* —5E **15**
Beach Clo. *Bog R* —4E **15**
Beach Gdns. *Sel* —6C **10**
Beach Rd. *Bog R* —6C **14**
Beach Rd. *Lit* —2F **27**
Beach Rd. *Sel* —3E **11**
Beacon Dri. *Sel* —5D **10**
Beaconsfield Clo. *Bog R* —4D **18**
Beaconsfield Rd. *Wick* —6F **23**
Beacon Way. *Lit* —1A **28**
Beagle Dri. *Ford* —5H **13**
Beatty Rd. *Bog R* —4D **16**
Beaufield Clo. *Sel* —6C **10**
Beaumont Ct. *E Pre* —1F **29**
Beaumont Pk. *Lit* —3H **27**
Beaver Clo. *Chich* —3H **5**
Bedenscroft. *Bog R* —5B **18**
Bedford Av. *Bog R* —2B **16**
Bedford St. *Bog R* —5E **17**
Beech Av. *Bra B* —5G **9**
Beech Av. *Chich* —3C **6**
Beech Clo. *Wes* —2A **12**
Beechfield Pk. *Ald* —4A **12**
Beechlands Clo. *E Pre* —2G **29**
Beechlands Ct. *E Pre* —2G **29**
Beech Vw. *Ang* —3G **25**
(in two parts)
Beeding Clo. *Bog R* —1F **17**
Belgrave Cres. *Chich* —6D **6**
Bell Clo. *Chich* —1C **6**
Bell Ct. *Bog R* —3E **15**
Bell Davies Rd. *Lit* —1H **27**
Belle Meade Clo. *Wood* —4A **12**
Bell La. *Earn* —2H **9**
Belloc Rd. *Wick* —6E **23**
Bellscroft Clo. *Lit* —1H **27**
Belmont St. *Bog R* —6E **17**
Belmont Ter. *Yap* —6G **13**
Belyngham Cres. *Wick* —1E **27**
Bennetts Clo. *W Wit* —4E **9**
Ben Turner Ind. Est. *Chich*
—3H **7**
Bereweeke Rd. *Bog R* —4H **17**
Berghestede Rd. *Bog R* —2D **16**
Berkeley M. *Chich* —2F **7**
Bermuda Ct. *Lit* —1A **28**
Bernard Rd. *Arun* —5B **20**
Berri Ct. *Yap* —1C **18**
Berrybarn La. *W Wit* —3A **8**
Berry La. *Bog R* —1B **16**
Berry La. *Lit* —3H **27**
Berry Mill Clo. *Bog R* —4E **17**
Bersted Grn. Ct. *Bog R* —2D **16**
Bersted M. *Bog R* —3E **17**
Bersted St. *Bog R* —3D **16**
(in two parts)
Bethwines Clo. *Chich* —2G **5**
Beverley Clo. *Sel* —4E **11**
Beverley Clo. *Yap* —5G **13**
Beverley Gdns. *Rust* —1B **28**
Bewley Rd. *Ang* —3F **25**
Bickleys Ct. *Bog R* —6C **16**
Bignor Clo. *Rust* —1D **28**
Bilsham Ct. *Yap* —6F **13**
Bilsham La. *Yap* —1C **18**
Bilsham Rd. *Yap* —6F **13**
(nr. Burndell Rd.)
Bilsham Rd. *Yap* —1E **19**
(nr. Yapton Rd.)
Binstead Av. *Bog R* —3H **17**
Binsted Clo. *Rust* —3B **28**
Binsted La. *Bin* —5A **20**

Birch Clo. *Ang* —5F **25**
Birch Clo. *Arun* —6A **20**
Birch Clo. *Bog R* —2F **15**
Birches Clo. *Sel* —4B **10**
Birdham Clo. *Bog R* —3A **16**
Birdham Rd. *Chich* —6B **6**
Biscay Clo. *Lit* —1B **28**
Bishop Dri. *Wick* —6G **23**
Bishop Luffa Clo. *Chich* —2B **6**
Bishops Clo. *Bog R* —5C **14**
Bishopsgate Wlk. *Chich* —2F **7**
Blackberry La. *Chich* —3G **7**
Blackboy La. *Chich* —3G **5**
Black Horse Cvn. Pk. *Sel*
(off Mill La.) —3B **10**
Blakehurst La. *Warn* —5H **21**
Blakehurst Way. *Lit* —1F **27**
Blakemyle. *Bog R* —3H **15**
Blakes Rd. *Bog R* —4H **17**
Blanford Rd. *Chich* —1F **7**
Blatchen, The. *Lit* —3H **27**
Blenheim Clo. *Rust* —6B **24**
Blenheim Ct. *Bog R* —1G **15**
Blenheim Dri. *Rust* —6B **24**
Blenheim Gdns. *Chich* —3G **7**
Blenheim Rd. *Yap* —6F **13**
Blomfield Dri. *Chich* —6E **3**
Blondell Dri. *Bog R* —2F **15**
Bluebell Dri. *Rust* —6A **24**
Bluecedars Clo. *Ang* —5E **25**
Bognor Rd. *Chich & Mer* —3G **7**
Boleyn Dri. *Bog R* —4D **14**
Bond St. *Arun* —4C **20**
Bonnar Clo. *Sel* —5B **10**
Bonnar Rd. *Sel* —5B **10**
Bookers La. *Earn* —3H **9**
Bosham La. *Bosh* —4B **4**
Botany Clo. *Rust* —3D **28**
Boundary Way. *E Pre* —1H **29**
Bourne Clo. *Chich* —2G **5**
Bourne Ct. *E Wit* —6F **9**
Bowley La. *S Mun* —1B **14**
Bowling Grn. Clo. *Bog R*
—4D **14**
Boxgrove Gdns. *Bog R* —3E **15**
Box Tree Av. *Rust* —2B **28**
Bracklesham Bay Cvn. & Boat
Club. *Bra B* —6H **9**
Bracklesham Clo. *Bra B* —5G **9**
Bracklesham La. *Bra B* —6G **9**
Bradlond Clo. *Bog R* —6B **16**
Bradshaw Rd. *Chich* —1G **7**
Braemar Way. *Bog R* —1A **16**
Bramber Clo. *Bog R* —4B **16**
Bramber Rd. *Chich* —4F **7**
Bramber Sq. *Rust* —1C **28**
Brambletyne Clo. *Ang* —3G **25**
Bramblings, The. *Rust* —2D **28**
Bramfield Rd. *Bog R* —5B **18**
Bramley Gdns. *Bog R* —1C **16**
Brampton Clo. *Sel* —4C **10**
Brandyhole La. *Chich* —5C **2**
Brazwick Av. *Bog R* —1A **16**
Bread La. *Clim* —3A **26**
Bream La. *Sel* —3A **10**
Brendon Way. *Rust* —1B **28**
Brent Rd. *Bog R* —4B **16**
Brewery Hill. *Arun* —5D **20**
Briar Av. *W Wit* —2E **9**
Briar Clo. *Ang* —5F **25**
Briar Clo. *Yap* —5F **13**
Briar Cottage Cvn. Pk. *W Wit*
—2F **9**
Brickfield Clo. *Bog R* —3C **16**
Brideoake Clo. *Chich* —1C **6**
Bridge Rd. *Chich* —2F **7**
Bridge Rd. *Lit* —2D **26**

Bridgeway, The. *Sel* —5C **10**
Bridle Way, The. *Sel* —4C **10**
Bridorley Clo. *Bog R* —3D **14**
Brigham Pl. *Bog R* —5C **18**
Bristol Gdns. *Chich* —5D **2**
Broadbridge Dri. *Bosh* —2C **4**
Broadbridge Mill. *Bosh* —2C **4**
Broadmark Av. *Rust* —3C **28**
Broadmark La. *Rust* —3C **28**
Broadmark Pde. *Rust* —2C **28**
Broadmark Way. *Rust* —3C **28**
Broad Piece. *Lit* —1D **26**
Broad Strand. *Rust* —4D **28**
Broad Vw. *Sel* —4E **11**
Broadway. *Sel* —3B **10**
Broadway, The. *Chich* —5D **2**
Bronze Clo. *Bog R* —1D **16**
Brook Av. *Bosh* —4B **4**
Brook Clo. *Bog R* —4B **16**
Brookenbee Clo. *Rust* —6B **24**
Brooklands. *Bog R* —4C **14**
Brook La. *Bar* —6E **13**
Brookpit La. *Clim* —3A **26**
(in two parts)
Brookside Av. *Rust* —6C **24**
Brookside Cvn. Site. *Lym*
—4E **23**
Brooks La. *Bog R* —3F **17**
Brooks La. *Bosh* —2D **4**
(in two parts)
Brooks La. W. *Bog R* —3E **17**
Brooksmead. *Bog R* —4F **17**
Broomcroft Rd. *Bog R* —5B **18**
Broomfield Rd. *Sel* —3E **11**
Brou Clo. *E Pre* —2H **29**
Broyle Clo. *Chich* —6D **2**
Broyle Rd. *Chich* —6D **2**
Brunswick Clo. *Bog R* —3H **17**
Buckingham Dri. *Chich* —3H **7**
Buckland Dri. *Bog R* —3D **14**
Bucknor Clo. *Bog R* —3E **15**
Bucksham Av. *Bog R* —1A **16**
Burchett Wlk. *Bog R* —3A **16**
Burch Gro. *Walb* —1G **13**
Burley Rd. *Bog R* —5C **18**
Burlington Gdns. *Sel* —5E **11**
Burmill Ct. *Rust* —6E **25**
Burndell Rd. *Yap* —5G **13**
Burngreave Ct. *Bog R* —5C **16**
Burnham Av. *Bog R* —5D **16**
Burnham Gdns. *Bog R* —5D **16**
Burns Gdns. *Bog R* —3C **18**
Bursledon Clo. *Bog R* —3H **17**
Burwash Clo. *E Pre* —6H **25**
Bushby Av. *Rust* —2C **28**
Buttermere Way. *Lit* —1A **28**
Bye Way, The. *Aldw* —5E **15**
Byeway, The. *W Wit* —2B **8**
Byfield Pl. *Bog R* —2E **17**
Byron Clo. *Bog R* —3C **18**
Byron Rd. *Rust* —2A **28**
Bywater Way. *Chich* —5D **6**
Byways. *Sel* —6D **10**
Byway, The. *Mid S* —4C **18**

Caernarvon Rd. *Chich* —3H **7**
Cakeham Rd. *W Wit* —2A **8**
Cakeham Way. *W Wit* —4D **8**
Calcetto La. *Lym* —1F **23**
Caledon Av. *Bog R* —4C **18**
Caledonian Rd. *Chich* —3E **7**
California M. *Arun* —5C **20**
Cambrai Av. *Chich* —4F **7**
Cambria Clo. *Bosh* —4C **4**
Cambridge Av. *W Wit* —3D **8**
Cambridge Dri. *Bog R* —1H **15**

Fraser Ri. *Sel* —4D **10**
Frederick Rd. *Chich* —3A **6**
Freeways. *Sel* —3B **10**
Freya Clo. *Bog R* —4E **19**
Friary Clo. *Bog R* —4D **18**
Friary La. *Chich* —3E **7**
Frith Rd. *Bog R* —4B **16**
Frobisher Rd. *Bog R* —3E **15**
Frobisher Way. *Rust* —3E **29**
Fullers Wlk. *Wick* —4F **23**
Furse Feld. *Bog R* —6B **16**
Furzedown. *Lit* —3G **27**
Furzefield. *W Wit* —3E **9**
Furzefield Clo. *Ang* —3F **25**

Gainsboro Rd. *Bog R* —5D **16**
Gainsborough Dri. *Sel* —4D **10**
Garden Av. *Bra B* —5G **9**
Garden Clo. *Ang* —3G **25**
Garden Cottage. *Bosh* —4B **4**
Garden Ct. *Bog R* —3G **15**
Garden Cres. *Bar* —4F **13**
Garland Clo. *Chich* —4F **7**
Gaugemaster Way. *Ford* —4A **22**
Genoa Clo. *Lit* —1A **28**
George Cotts. *E Pre* —3H **29**
George IV Wlk. *Bog R* —3H **17**
George St. *Chich* —2E **7**
Georgian Gdns. *Rust* —1E **29**
Gibson Way. *Bog R* —4E **17**
Gifford Rd. *Bosh* —2C **4**
Gilbert Rd. *Chich* —1C **6**
Gilberts, The. *Rust* —4A **28**
Giles Clo. *Yap* —6F **13**
Gillway. *Sel* —3F **11**
Gilmore Rd. *Chich* —3G **7**
Gilpin Clo. *Chich* —3H **5**
Gilwynes. *Bog R* —3H **15**
Gilwynes Ct. *Bog R* —3H **15**
Glade, The. *Bog R* —5C **14**
Gladonian Rd. *Wick* —6F **23**
Gladstone Rd. *Yap* —6F **13**
Gladstone Ter. *Wick* —6F **23**
Glamis Ct. *Bog R* —5E **17**
Glamis St. *Bog R* —5E **17**
Glencathara Rd. *Bog R* —5C **16**
Glen Cres. *Sel* —4D **10**
Glenelg Clo. *Bog R* —2A **16**
Glenville Rd. *Rust* —3C **28**
Glenway. *Bog R* —4E **17**
Globe Pl. *Wick* —6F **23**
Gloster Dri. *Bog R* —4D **14**
Gloucester La. *Lit* —2F **27**
Gloucester Pl. *Lit* —2F **27**
Gloucester Rd. *Bog R* —5F **17**
Gloucester Rd. *Lit* —2E **27**
Gloucester Way. *Chich* —6D **2**
Glynde Cres. *Bog R* —3H **17**
Goatlands Cvn. Pk. *Sel* —3B **10**
Goda Rd. *Lit* —2G **27**
Godman Clo. *Bog R* —2F **15**
Godwin Way. *Chich* —1G **5**
Goldcrest Av. *Wick* —5E **23**
Golden Acre. *Bog R* —5C **14**
Golden Acre. *E Pre* —3H **29**
Golden Av. *E Pre* —1H **29**
Golden Av. Clo. *E Pre* —3H **29**
Golfers La. *Ang* —6D **24**
Golf Links La. *Sel* —1B **10**
Golf Links Rd. *Bog R* —2G **17**
(in two parts)
Goodacres. *Bar* —4F **13**
Goodhew Clo. *Yap* —5G **13**
Goodwood Av. *Bog R* —3G **17**
Goodwood Clo. *Rust* —1E **29**

Goodwood Motor Circuit. *Good*
—4G **3**
Gordon Av. *Bog R* —4E **17**
(in two parts)
Gordon Av. *Chich* —6C **6**
Gordon Av. W. *Bog R* —3E **17**
Gordon Ter. *Pol* —1C **24**
Gorse Av. *Bog R* —3C **18**
Gosden Rd. *Lit* —1H **27**
Gospond Rd. *Bar* —4E **13**
Gossamer La. *Bog R* —2F **15**
Goy Vs. *Lit* —3H **27**
Graffham Clo. *Chich* —4E **3**
Grafton Av. *Bog R* —3B **18**
Grafton Clo. *Rust* —1C **28**
Grafton Rd. *Sel* —6D **10**
(in two parts)
Graham Rd. *Yap* —6F **13**
Granary La. *Sel* —3C **10**
Granary Way. *Wick* —5F **23**
Grand Av. *Wick* —6E **23**
Grange Ct. *Bog R* —4G **15**
Grange Field Way. *Bog R*
—3F **15**
Grange La. *Sel* —1F **11**
Grangeway, The. *Rust* —2C **28**
Grangewood Dri. *Bog R* —3F **15**
Grant Clo. *Sel* —4C **10**
Granville Rd. *Lit* —3G **27**
Grassmere Clo. *Bog R* —4G **17**
Grassmere Clo. *Lit* —6A **24**
Gravel La. *Chich* —4G **7**
Gravits La. *Bog R* —3B **16**
Graydon Av. *Chich* —5C **6**
Graylingwell Cotts. *Chich* —5E **3**
Grayswood Av. *Bra B* —5G **9**
Greenacres Ring. *Ang* —3G **25**
Green Bank. *Bar* —4F **13**
Greenbushes Clo. *Rust* —3B **28**
Greencourt Dri. *Bog R* —3B **16**
Greenfield Rd. *Chich* —1G **7**
Greenfields. *Wick* —6D **22**
Green La. *Bosh* —3C **4**
(nr. Delling La.)
Green La. *Bosh* —1A **4**
(nr. Newells La.)
Green La. *Chich* —2F **7**
Green La. *Sel* —5C **10**
Green La. Clo. *Arun* —5B **20**
Green Lawns Cvn. Pk. *Sel*
—3C **10**
Greenlea Av. *Bog R* —3D **14**
Green, The. *Bog R* —5C **14**
Green Way. *Mid S* —4E **19**
Greenways. *Pag* —4D **14**
Greenwood Av. *Bog R* —2C **16**
Greenwood Clo. *Bog R* —2C **16**
Greenwood Dri. *Ang* —5F **25**
Grenville Gdns. *Chich* —5D **6**
Grevatt's La. *Yap* —2E **19**
(in two parts)
Grevatt's La. W. *Yap* —1E **19**
Greyfriars Clo. *Bog R* —2H **15**
Greynville Clo. *Bog R* —3E **15**
Greystone Av. *Bog R* —1A **16**
Griffin Cres. *Wick* —5F **23**
Grosvenor Gdns. *Bog R* —2E **15**
Grosvenor Rd. *Chich* —5D **6**
Grosvenor Way. *Bog R* —2E **15**
Grove Cres. *Lit* —1G **27**
Grove Pk. *Chich* —3B **6**
Grove Rd. *Chich* —4F **7**
Grove Rd. *Sel* —5D **10**
Grove, The. *Bog R* —4H **17**
Guernsey Farm La. *Bog R*
—4B **18**
Guilden Rd. *Chich* —3F **7**

Guildford Pl. *Chich* —6D **2**
Guildford Rd. *Rust* —1E **29**
Guildhall St. *Chich* —2E **7**
Gunwin Ct. *Bog R* —3F **15**

Hacketts Rew. *Chich* —3E **3**
Hadlands. *Bog R* —4C **14**
Hadley Clo. *Bog R* —3D **18**
Hailsham Clo. *E Pre* —6H **25**
Hale Clo. *E Wit* —5G **9**
Hales Footpath. *Bog R* —3H **17**
Halfrey Clo. *Chich* —2G **5**
Halfrey Rd. *Chich* —2G **5**
Halliford Dri. *Bar* —3F **13**
Halliwick Gdns. *Bog R* —5A **18**
Hall Yd. *Bog R* —4F **19**
Halnaker Gdns. *Bog R* —3E **15**
Hambledon Pl. *Bog R* —5C **16**
Hamilton Clo. *Rust* —6B **24**
Hamilton Dri. *Rust* —6B **24**
Hamilton Gdns. *Bog R* —3F **15**
Hamilton Gdns. *Bosh* —2C **4**
Ham Mnr. Clo. *Ang* —5E **25**
Ham Mnr. Way. *Ang* —5E **25**
Hampden Clo. *Bog R* —4E **19**
Hampshire Av. *Bog R* —3C **16**
Hampton Ct. *Bog R* —4H **15**
Hampton Fields. *Wick* —1F **27**
Hannah Sq. *Chich* —2B **6**
Hanover Clo. *Sel* —4E **11**
Harberton Cres. *Chich* —4D **2**
Harbour Ct. *Bosh* —4C **4**
Harbour Rd. *Bog R* —6B **14**
Harbour Rd. *Bosh* —5B **4**
Harbour Vw. Rd. *Bog R* —5C **14**
Harbour Way. *Bosh* —5C **4**
Harcourt Way. *Sel* —3E **11**
Hardham Clo. *Rust* —3B **28**
Hardham Rd. *Chich* —4F **7**
Hard, The. *Bog R* —4H **19**
Hardy Clo. *Bog R* —4C **18**
Harebell Clo. *Rust* —6B **24**
Harefield Gdns. *Bog R* —4E **19**
Harefield Rd. *Bog R* —4E **19**
Hare La. *Sel* —3A **10**
Harmony Dri. *Bra B* —6G **9**
Harrow Dri. *W Wit* —4E **9**
Harsfold Clo. *Rust* —3B **28**
Harsfold Rd. *Rust* —4B **28**
Harting Rd. *Wick* —6F **23**
Hartings, The. *Bog R* —3C **18**
Hartnells Cotts. *Rust* —2B **28**
(off Sea La.)
Harwood Ind. Est. *Wick* —1E **27**
Harwood Rd. *Lit* —2E **27**
Hastings Clo. *Bog R* —1H **15**
Hatchard Pl. *Chich* —5E **3**
Hatherleigh Clo. *Bog R* —3B **16**
Hatherleigh Gdns. *Bog R*
—3B **16**
Havelock Clo. *Bog R* —5G **17**
Havelock Rd. *Bog R* —4D **16**
Havenstoke Clo. *Chich* —6E **3**
Haven, The. *Lit* —2A **28**
(in two parts)
Haywards Clo. *Bog R* —3H **17**
Hawke Clo. *Rust* —2E **29**
Hawkins Clo. *Bog R* —3D **14**
Hawks Pl. *Bog R* —2C **16**
Hawley Rd. *Rust* —3B **28**
Hawthorn Clo. *Chich* —2D **6**
Hawthorn Clo. *Rust* —3C **28**
Hawthorn Rd. *Bog R* —5B **16**
Hawthorn Rd. *Wick* —5E **23**
Haydon Clo. *Bog R* —4E **15**
Hayley's Gdns. *Bog R* —4H **17**

Hay Rd. *Chich* —5F **7**
Hazel Gro. *Arun* —5A **20**
Hazel Gro. *Bog R* —2F **15**
Hazelmead Dri. *E Pre* —2G **29**
Hazel Rd. *Bog R* —2C **16**
Hearn Field Rd. *Wick* —5F **23**
Hearn M. *Chich* —1D **6**
Heather Ct. *Chich* —4D **6**
Heathfield Av. *E Pre* —6F **25**
Heath Pl. *Bog R* —1E **17**
Hechle Wood. *Bog R* —3H **15**
Hedge End. *Bar* —3F **13**
Hedgeway. *Bog R* —4C **18**
Heghbrok Way. *Bog R* —6B **16**
Helyer's Grn. *Wick* —1E **27**
Hendon Av. *Rust* —4A **28**
Hendy Gdns. *Arun* —5C **20**
Henfield Way. *Bog R* —3C **18**
Henry Av. *Rust* —2A **28**
Henry Clo. *Chich* —6D **2**
Henry St. *Bog R* —4E **17**
Henty Clo. *Walb* —1H **13**
Henty Gdns. *Chich* —3C **6**
Heo Grn. *Wick* —6D **22**
Herald Dri. *Chich* —4E **7**
Hercules Pl. *Bog R* —4C **18**
Hereford Clo. *Chich* —6D **2**
Herington Rd. *Arun* —5B **20**
Heritage, The. *Chich* —3F **7**
Herne Gdns. *Rust* —1D **28**
Herne La. *Rust* —1D **28**
Heron Clo. *Bog R* —1C **16**
Heron Clo. *Sel* —3A **10**
Heron Ct. *Chich* —2H **7**
Heron Ct. *Rust* —3C **28**
Heron Mead. *Bog R* —6B **14**
Hersee Way. *Sel* —4B **10**
Hertford Clo. *Bog R* —2H **15**
Heston Gro. *Bog R* —4E **15**
Hewarts La. *Bog R* —2F **15**
Hide Gdns. *Rust* —1B **28**
Highcroft Av. *Bog R* —3E **17**
Highcroft Clo. *Bog R* —3F **17**
Highcroft Cres. *Bog R* —3F **17**
Highdown Dri. *Wick* —6G **23**
Highfield. *Wick* —6D **22**
Highfield Clo. *Ang* —4G **25**
Highfield Gdns. *Bog R* —3E **17**
Highfield Gdns. *Rust* —2B **28**
Highfield Rd. *Bog R* —3E **17**
Highgate Dri. *Bog R* —2A **16**
Highground La. *Bar* —5D **12**
Highland Av. *Bog R* —4C **16**
Highland Rd. *Chich* —5D **2**
High Ridge Clo. *Arun* —6B **20**
High St. Angmering, *Ang* —4F **25**
High St. Arundel, *Arun* —4D **20**
High St. Bognor Regis, *Bog R*
—5E **17**
High St. Bosham, *Bosh* —5A **4**
High St. Chichester, *Chich*
—1D **6**
High St. Littlehampton, *Lit*
—2F **27**
High St. Selsey, *Sel* —4C **10**
High Trees. *Bog R* —3H **15**
Highview Rd. *East* —2C **12**
Hilary Rd. *Chich* —2C **6**
Hillfield Rd. *Sel* —6C **10**
Hill La. *Bar* —5E **13**
Hill Rd. *Lit* —1G **27**
Hillsboro Rd. *Bog R* —4D **16**
Hillside Cres. *Ang* —4G **25**
Hill Ter. *Arun* —5B **20**
Hillview Cres. *E Pre* —1G **29**
Hilton Pk. *E Wit* —3F **9**
Hinde Rd. *Bog R* —4B **18**

Madehurst Clo.—Oakcroft Gdns.

Madehurst Clo. *E Pre* —3E **29**
Madehurst Way. *Lit* —1F **27**
Madeira Av. *Bog R* —4F **17**
Madgwick La. *Westh* —6H **3**
Magpie La. *Sel* —2A **10**
Main Dri. *Bog R* —4E **19**
Main Rd. *Bosh* —2A **4**
Main Rd. *Yap* —5F **13**
Malden Way. *Sel* —4C **10**
Malin Rd. *Lit* —2A **28**
Mallard Cres. *Bog R* —6B **14**
Mallon Dene. *Rust* —3C **28**
Malmayne Ct. *Bog R* —2H **15**
Malthouse Clo. *Arun* —5C **20**
Malthouse Pas. *Wick* —1F **27**
Malthouse Rd. *Sel* —4D **10**
Maltings, The. *Chich* —3D **6**
Maltravers Dri. *Lit* —3G **27**
Maltravers Rd. *Lit* —3G **27**
Maltravers St. *Arun* —4D **20**
Malvern Way. *Bog R* —4D **14**
Manet Sq. *Bog R* —2C **16**
Manning Rd. *Chich* —1G **7**
Manning Rd. *Wick* —6E **23**
Manor Clo. *Bog R* —4H **17**
Manor Clo. *Chich* —6D **6**
Manor Clo. *E Pre* —2F **29**
Manor Farm Clo. *Sel* —3D **10**
Manor Farm Ct. *Sel* —3D **10**
Manor Gdns. *Rust* —2B **28**
Manor La. *Sel* —3E **11**
Manor Pk. *Bog R* —4C **14**
Manor Pl. *Bog R* —6D **16**
Manor Rd. *E Pre* —3G **29**
Manor Rd. *Rust* —1B **28**
Manor Vs. *Bosh* —4C **4**
Manor Way. *Aldw* —4D **14**
Manor Way. *Elmer* —4G **19**
Mansergh Rd. *Chich* —6F **3**
Mansfield Rd. *Bog R* —3C **16**
Mantling Rd. *Lit* —1F **27**
Manton Clo. *Bra B* —6H **9**
Maple Clo. *Bog R* —3D **18**
Maple Gdns. *Bog R* —1D **16**
Maplehurst Rd. *Chich* —5F **3**
  (in three parts)
Maple Rd. *Walb* —1H **13**
Maple Wlk. *Rust* —1C **28**
Marama Gdns. *Rust* —4B **28**
March Sq. *Chich* —4E **3**
Marchwood. *Chich* —4E **3**
Marchwood Ga. *Chich* —4E **3**
Marchwood M. *Chich* —4E **3**
Marcuse Fields. *Bosh* —3A **4**
Marden Av. *Chich* —6C **6**
Margaret Clo. *Bog R* —2G **15**
Marian Way. *Bog R* —5F **17**
Marine Clo. *W Wit* —5D **8**
Marine Dri. *Sel* —4E **11**
Marine Dri. *W Wit* —4D **8**
  (in two parts)
Marine Dri. W. *Bog R* —6B **16**
Marine Dri. W. *W Wit* —4C **8**
Marine Gdns. *Sel* —6C **10**
Marine Pde. *Bog R* —6C **16**
Mariners Wlk. *Rust* —3D **28**
Marineside. *Bra B* —6G **9**
Maris Clo. *Lit* —3H **27**
Marisfield Pl. *Sel* —3E **11**
Market Av. *Chich* —4E **7**
Market Clo. *Bar* —3E **13**
Market Rd. *Chich* —3E **7**
Market St. *Bog R* —6D **16**
Markfield. *Bog R* —2C **16**
Marlborough Clo. *Chich* —3H **7**
Marlborough Ct. *Bog R* —3A **16**

Marlowe Clo. *Bog R* —3C **18**
Marquis Way. *Bog R* —4G **15**
Marshall Av. *Bog R* —4C **16**
Marshall Clo. *Bar* —4E **13**
Marsh La. *Easth* —1D **2**
Martello Enterprise Cen. *Wick*
  —5E **23**
Martlet Clo. *Chich* —4E **7**
Martlets, The. *Rust* —4A **28**
  (in three parts)
Martlet Way. *Bog R* —6B **14**
Marylands Cres. *Bog R* —3F **17**
Mauldmare Clo. *Bog R* —3H **15**
Maxwell Rd. *Arun* —6B **20**
Maxwell Rd. *Lit* —2E **27**
May Clo. *Bog R* —3E **17**
Mayfair Ct. *Chich* —2D **6**
Mayfield. *E Pre* —6H **25**
Mayfield Clo. *Bog R* —3D **14**
Mayfield Rd. *Bog R* —4B **16**
Mayflower Way. *Ang* —6G **25**
Mayflower Way. *Chich* —3F **7**
Maynards Camping & Cvn. Site.
  Cross —6F **21**
Maypole La. Cvn. Site. *Yap*
  —4H **13**
Mayridge. *Sel* —3A **10**
Maytree Clo. *Ang* —5F **25**
Mead La. *Bog R* —4E **17**
Meadow Ct. *Bog R* —3C **18**
Meadowfield Dri. *Chich* —2F **7**
Meadowland. *Sel* —5C **10**
Meadow La. *W Wit* —1C **8**
Meadowside. *Ang* —3G **25**
Meadows Rd. *E Wit* —4F **9**
Meadows, The. *Walb* —1H **13**
Meadow Wlk. *Bog R* —4F **19**
Meadow Way. *Aldw* —4D **14**
Meadow Way. *Lit* —2H **27**
Meadow Way. *N Ber* —2B **16**
Meadow Way. *Wes* —3A **12**
Meadway. *Rust* —2D **28**
Medmerry. *Sel* —3A **10**
Melbourne Rd. *Chich* —2F **7**
Mendip Clo. *E Pre* —1G **29**
Merchant St. *Bog R* —5D **16**
Merlin Way. *Bog R* —3C **18**
Merrion Av. *Bog R* —3C **16**
Merry End. *Bog R* —4C **18**
Merryfield Cres. *Ang* —3G **25**
Merryfield Dri. *Sel* —4E **11**
Merryweather Rd. *Bosh* —4B **4**
Merton Av. *Rust* —3D **28**
Merton Clo. *Bog R* —1G **15**
Merton Dri. *Lit* —1F **27**
Michel Gro. *E Pre* —2E **29**
Micklam Clo. *Bog R* —3E **15**
Middlefield. *W Wit* —2B **8**
Middle Mead. *Lit* —2A **28**
Middleton Clo. *Bra B* —5G **9**
Middleton Rd. *Bog R* —4B **18**
Middle Wlk. *E Pre* —3F **29**
Midholme. *E Pre* —2F **29**
Midhurst Rd. *Lav* —1C **2**
Midway, The. *Bog R* —4H **17**
Miles Clo. *Ford* —6H **13**
Miles Cotts. *Bosh* —4C **4**
Mill Clo. *Chich* —3H **5**
Mill Clo. *Rust* —1D **28**
Millers Ct. *Bog R* —4D **14**
Millers, The. *Yap* —6F **13**
Mill Farm Dri. *Bog R* —3B **14**
Millfarm Est. *Bog R* —3B **14**
Millfield Clo. *Chich* —1G **7**
Millfield Clo. *Rust* —4C **28**
Mill Gdns. *E Wit* —4E **9**
Mill La. *Arun* —4D **20**

Mill La. *Chich* —3H **5**
Mill La. *Rust* —1D **28**
  (in two parts)
Mill La. *Sel* —4A **10**
Mill La. *Walb* —1G **13**
Mill La. *Wick* —4F **23**
  (in two parts)
Mill Pk. Rd. *Bog R* —3C **14**
Mill Pond Way. *E Pre* —1F **29**
Mill Rd. *Ang* —4F **25**
Mill Rd. *Arun* —3D **20**
Mill Rd. Av. *Ang* —4F **25**
Mill Vw. Clo. *Bog R* —3C **14**
Mill View Rd. *Yap* —6F **13**
Milton Av. *Rust* —3B **28**
Milton Clo. *Rust* —2B **28**
Minton Rd. *Bog R* —4H **17**
Mixon Clo. *Sel* —5D **10**
Mole, The. *Lit* —2A **28**
Mons Av. *Bog R* —3C **16**
Montague Rd. *Chich* —1C **6**
Montgomeri Dri. *Rust* —6B **24**
Montgomery Dri. *Bog R* —3C **18**
Montpelier Rd. *E Pre* —2G **29**
Moorhen Way. *Bog R* —2C **16**
Moorings, The. *Lit* —1A **28**
Moraunt Dri. *Bog R* —3C **18**
Moreton Rd. *Bosh* —4B **4**
Mornington Cres. *Bog R*
  —3H **17**
Mosse Gdns. *Chich* —2H **5**
Moss Wlk. *Ang* —3G **25**
Mountbatten Ct. *Bog R* —6E **17**
Mount La. *Chich* —3D **6**
Mt. Pleasant. *Arun* —4C **20**
Mountwood Rd. *Sel* —3E **11**
Moutalan Cres. *Sel* —4A **10**
M'Tongue Av. *Bosh* —2C **4**
Mudberry La. *Bosh* —1A **4**
Mulberry Ct. *Bog R* —6C **14**
Mumford Pl. *Chich* —5F **7**
Munmere Way. *Rust* —1E **29**
Murina Av. *Bog R* —3D **16**
Murray Rd. *Sel* —5C **10**
Mustang Clo. *Ford* —6H **13**
Myrtle Gro. *E Pre* —2F **29**

Nab Tower La. *Sel* —3A **10**
Nab Wlk. *E Wit* —5E **9**
Nagles Clo. *E Wit* —5E **9**
Naiad Gdns. *Bog R* —4C **18**
Nauton Dri. *Chich* —6E **3**
Needle Makers. *Chich* —3F **7**
Nelson Rd. *Bog R* —5B **16**
Nelson Row. *Ford* —6A **22**
Neptune Ct. *Bog R* —5C **18**
Neptune Way. *Lit* —3A **28**
Netherton Clo. *Sel* —4D **10**
Neville Rd. *Bog R* —4E **17**
Neville Rd. *Chich* —2B **6**
New Barn La. *Fel* —3A **18**
Newbarn La. *N Ber* —1A **16**
  (in two parts)
New Courtwick La. *Wick*
  —5E **23**
Newells La. *Bosh* —1A **4**
Newfield Rd. *Sel* —3F **11**
Newhall Clo. *Bog R* —2H **15**
Newlands La. *Chich* —1C **6**
New Pk. Rd. *Chich* —2E **7**
Newport Dri. *Chich* —2H **5**
New Rd. *Lit* —3F **27**
New Rd. *Rust* —6D **24**
New Ter. *Pol* —1C **24**
New Town. *Chich* —3E **7**
Newtown Av. *Bog R* —2B **16**

Nightingale Ct. *Bog R* —4E **19**
Nimbus Clo. *Lit* —1A **28**
Nineveh Shipyard. *Arun* —4D **20**
Nookery, The. *E Pre* —2G **29**
Norfolk Clo. *Bog R* —6C **16**
Norfolk Cotts. *Bur* —1H **21**
Norfolk Gdns. *Lit* —3H **27**
Norfolk Pl. *Lit* —3H **27**
Norfolk Rd. *Lit* —4H **27**
Norfolk Sq. *Bog R* —6C **16**
Norfolk St. *Bog R* —6E **17**
Norfolk Way. *Bog R* —4F **19**
Norman Clo. *Lit* —2H **27**
Normandy Dri. *E Pre* —3G **29**
Normandy La. *E Pre* —3G **29**
Normanhurst Clo. *Rust* —3C **28**
Norman's Dri. *Bog R* —3A **18**
Normanton Av. *Bog R* —5C **16**
Norman Way. *Bog R* —4E **19**
Norris, The. *E Pre* —2H **29**
North Av. *Bog R* —4E **19**
North Av. E. *Bog R* —4E **19**
North Av. S. *Bog R* —4E **19**
N. Bersted St. *Bog R* —2B **16**
Northcliffe Rd. *Bog R* —4F **17**
North Clo. *Chich* —3E **7**
Northcote Rd. *Bog R* —4B **16**
Northcourt Clo. *Rust* —1E **29**
North Dri. *Ang* —5F **25**
North End Rd. *Yap* —5F **13**
Northern Cres. *W Wit* —4E **9**
Northfield. *Sel* —4E **11**
Northfields La. *Wes* —1A **12**
Northgate. *Chich* —2E **7**
N. Ham Rd. *Lit* —2F **27**
North La. *E Pre* —1H **29**
North La. *Rust* —2B **28**
North Pallant. *Chich* —3E **7**
North Pl. *Lit* —3G **27**
North Rd. *Bog R* —2H **17**
North Rd. *Bosh* —2C **4**
North Rd. *Sel* —4D **10**
Northside. *Lav* —1C **2**
North St. *Chich* —3E **7**
North St. *Wick* —6F **23**
North Walls. *Chich* —3D **6**
  (in two parts)
North Way. *Bog R* —4G **17**
Northway Rd. *Wick* —5F **23**
Northwyke Clo. *Bog R* —4B **18**
Northwyke Rd. *Bog R* —4B **18**
Norway La. *Lit* —6H **23**
Norwich Rd. *Chich* —1D **6**
Nuffield Clo. *Bog R* —2G **15**
Nunnington Farm Cvn. Pk. *W Wit*
  —1C **8**
Nursery Clo. *Bar* —3E **13**
Nursery Clo. *E Pre* —3G **29**
Nursery Gdns. *Wick* —6F **23**
Nursery La. *Chich* —2H **5**
Nuseries, The. *Bog R* —2E **15**
Nyetimber Clo. *Bog R* —3D **14**
Nyetimber Cres. *Bog R* —3D **14**
Nyetimber La. *Bog R* —3C **14**
Nyetimber Mill. *Bog R* —3C **14**
Nyetimbers, The. *Bog R* —3C **14**
Nyewood Gdns. *Bog R* —5C **16**
Nyewood La. *Bog R* —6C **16**
Nyewood Pl. *Bog R* —6C **16**
Nyton Rd. *Wes* —1A **12**

Oak Av. *Chich* —2C **6**
Oak Clo. *Bog R* —2D **16**
Oak Clo. *Chich* —2C **6**
Oakcroft Gdns. *Lit* —6H **23**

Oak End. *Arun* —5A **20**
Oakfield Av. *E Wit* —4E **9**
Oakfield Rd. *F Wit* —4E **9**
Oak Gro. *Bog R* —2D **16**
Oakhurst Gdns. *Rust* —1E **29**
Oaklands Ct. *Chich* —1D **6**
(off Somerstown)
Oaklands Way. *Chich* —2E **7**
Oakley Gdns. *E Pre* —2G **29**
Oaks Clo. *Wes* —3A **12**
Oaks, The. *Rust* —2E **29**
Oak Tree Clo. *Bog R* —3B **14**
Oak Tree La. *Wood* —4A **12**
Oakwood Gdns. *Bog R* —4D **16**
Ockley Ct. *Bog R* —5D **16**
Ockley Rd. *Bog R* —5D **16**
Old Bakery La. *Bog R* —6D **16**
Old Barn Clo. *Bog R* —3B **14**
Old Bri. Rd. *Bosh* —2C **4**
Old Broyle Rd. *W Bro* —5A **2**
Old Canal Cvn. Site. *Bog R*
—6A **12**
Old Coastguards. *Bog R*
—4G **17**
Older Way. *Ang* —3F **25**
Old Farm Clo. *Bog R* —3F **15**
Old Farm Clo. *Bra B* —6G **9**
Old Farm Dri. *Wes* —2A **12**
Oldlands Way. *Bog R* —1F **17**
Old Manor Ho. Gdns. *Bog R*
—4A **18**
Old Mnr. Rd. *Rust* —1B **28**
Old Mkt. Av. *Chich* —3E **7**
Old Mead Rd. *Wick* —4E **23**
Old Pk. La. *Bosh* —6E **5**
Old Pl. *Bog R* —2G **15**
Old Point. *Bog R* —5D **18**
Old Rectory Dri. *East* —2B **12**
Old Rectory Gdns. *Bog R*
—4H **17**
Old School M. *Bog R* —4H **17**
Old Stables, The. *Bog R*
—4G **17**
Oldwick Meadows. *Lav* —2A **12**
Old Worthing Rd. *E Pre* —6H **25**
Olivers Meadow. *Wes* —2A **12**
Oliver Whitby Rd. *Chich* —2B **6**
Olivia Ct. *Bog R* —6C **16**
Olivier Ct. *Bog R* —2B **16**
Orchard Av. *Chich* —2D **6**
Orchard Av. *Sel* —5D **10**
Orchard Cvn. Pk. *Bog R* —1A **16**
Orchard Clo. *Bog R* —5C **16**
Orchard Gdns. *Chich* —2D **6**
Orchard Gdns. *Rust* —1D **28**
Orchard Gdns. *Wood* —4A **12**
Orchard Pde. *Sel* —3B **10**
Orchard Pk. Cvn. Site. *Rust*
—6B **24**
Orchard Pl. *Arun* —4D **20**
Orchard Rd. *E Pre* —1G **29**
Orchard St. *Chich* —2D **6**
Orchard, The. *Bog R* —4E **15**
Orchard Way. *Bar* —3E **13**
Orchard Way. *Bog R* —3D **16**
Oriel Clo. *Bar* —3E **13**
Orme Cotts. *Ang* —3F **25**
Ormesby Cres. *Bog R* —3H **17**
Ormonde Av. *Chich* —3F **7**
Orpen Pl. *Sel* —4E **11**
Osborn Cres. *Chich* —6E **3**
Osborne Cres. *Chich* —3H **7**
Osprey Clo. *Wick* —5F **23**
Osprey Gdns. *Bog R* —1D **16**
Otard Clo. *Sel* —6D **10**
Otter Clo. *Chich* —1C **6**
Otway Rd. *Chich* —5E **3**

Outerwyke Av. *Bog R* —2H **17**
Outerwyke Gdns. *Bog R* —3A **18**
Outerwyke Rd. *Bog R* —2H **17**
Outram Rd. *Bog R* —5G **17**
Oval La. *Sel* —6D **10**
Overdown Rd. *Bog R* —4A **18**
Overstrand Av. *Rust* —3B **28**
Oving Rd. *Chich & Ald* —3G **7**
Oving Ter. *Chich* —3G **7**
Owers Way. *W Wit* —4D **8**
Oxford Clo. *W Wit* —3E **9**
Oxford Dri. *Bog R* —1G **15**
Oxford St. *Bog R* —6C **16**

Pacific Way. *Sel* —5D **10**
Paddock Grn. *Rust* —1E **29**
Paddock La. *Sel* —4C **10**
Paddocks. *Bar* —3E **13**
Paddock, The. *Lym* —3E **23**
Paddock, The. *S Ber* —3D **16**
Pagham Rd. *Bog R* —5B **14**
Palm Ct. *E Pre* —3G **29**
Palmer Rd. *Ang* —3F **25**
Palmers Fld. Av. *Chich* —1F **7**
Parade, The. *Bog R* —6C **14**
Parade, The. *E Pre* —3G **29**
Parchment St. *Chich* —2D **6**
Parham Clo. *Lit* —1F **27**
Parham Clo. *Rust* —3B **28**
Park Av. *Sel* —4E **11**
Park Copse. *Sel* —2G **11**
Park Cres. *Sel* —3F **11**
Park Dri. *Bog R* —4C **18**
Park Dri. *Rust* —1D **28**
Park Dri. *Yap* —6G **13**
Parker's Cotts. *E Lav* —1E **3**
Parkfield Av. *Bog R* —2F **15**
Parklands Av. *Bog R* —4C **16**
Parklands Rd. *Chich* —3C **6**
Park La. *Hal* —3B **2**
Park La. *Sel* —2E **11**
Park Pl. *Arun* —4C **20**
Park Rd. *Bar* —3G **13**
Park Rd. *Bog R* —6C **16**
Park Rd. *Sel* —3F **11**
Park Rd. *Yap* —6G **13**
Parkside Av. *Lit* —2H **27**
Parkside Ct. *Lit* —2H **27**
Park Ter. *Bog R* —6C **16**
Parkway. *Bog R* —5B **16**
Parkway, The. *Rust* —2D **28**
Parry Dri. *Rust* —2B **28**
Parson's Hill. *Arun* —4D **20**
Parsons Wlk. *Walb* —1H **13**
Paterson Wilson Rd. *Lit* —1G **27**
Payne Clo. *Bog R* —5C **14**
Peacheries, The. *Chich* —4G **7**
Peachey Rd. *Sel* —5C **10**
Peacock Clo. *Chich* —6F **3**
Peak La. *E Pre* —3H **29**
Pearson Rd. *Arun* —5B **20**
Pebble Wlk. *Lit* —6A **24**
Peckhams Copse La. *N Mun*
—6H **7**
Peel Cen., The. *Bog R* —1E **17**
Peel Clo. *Wick* —1E **27**
Peerley Clo. *E Wit* —5F **9**
Peerley Rd. *E Wit* —5F **9**
Pembroke Way. *Bog R* —1G **15**
Penarth Gdns. *Wick* —4E **23**
Penfold La. *Rust* —6C **24**
Penfolds Pl. *Arun* —5C **20**
Penn Clo. *Bog R* —4D **18**
Pennycord Clo. *Sel* —6D **10**
Pennyfields. *Bog R* —4B **18**
Penwarden Way. *Bosh* —2C **4**

Pepper Ct. *Lit* —2F **27**
Peregrine Rd. *Lit* —1H **27**
Peterhouse Clo. *Bog R* —1H **15**
Peter's La. *Sel* —3A **10**
Peter's Pl. *Sel* —3A **10**
Peter Weston Pl. *Chich* —3F **7**
Pevensey Rd. *Bog R* —1H **15**
Pharos Quay. *Lit* —2E **27**
(off River Rd.)
Phillips Bus. Cen. *Chich* —4C **6**
Phoenix Clo. *Chich* —4E **7**
Pier Rd. *Lit* —3F **27**
Pigeonhouse La. *Rust* —3E **29**
Piggery Hall La. *W Wit* —2E **9**
Pilgrims Way. *Bog R* —4D **14**
Pine Gro. *W Bro* —6A **2**
Pinehurst Pk. *Bog R* —1F **15**
Pines, The. *Ang* —5F **25**
Pines, The. *Yap* —5F **13**
Pine Trees Clo. *Ang* —2F **25**
Pine Wlk. *Bog R* —1F **15**
Pinewood Clo. *E Pre* —1G **29**
Pinewood Gdns. *Bog R* —5B **16**
Pitcroft, The. *Chich* —1G **7**
Place St Maur des Fosses. *Bog R*
—6E **17**
(off Belmont St.)
Plainwood Clo. *Chich* —5D **2**
Plantation, The. *E Pre* —2G **29**
Plover Clo. *Bog R* —1D **16**
Plover Clo. *E Wit* —5F **9**
Poling St. *Pol* —3A **24**
Pond Rd. *Bra B* —6G **9**
Pontins S. Downs. *Bra B* —4G **9**
Pook La. *Lav* —2D **2**
Poplars Cvn. Pk., The. *Bog R*
—2E **17**
Poppy Clo. *Rust* —6A **24**
Portfield Way. *Chich* —1H **7**
Portland Clo. *Lit* —1A **28**
Portsmouth Rd. *Chich* —3G **5**
Potters Mead. *Wick* —6E **23**
Poulner Clo. *Bog R* —3H **17**
Pound Farm Rd. *Chich* —3G **7**
Pound Rd. *Walb* —1H **13**
Pound Rd. *W Wit* —2A **8**
Pound, The. *Bog R* —3G **15**
Poyntz Clo. *Chich* —6D **6**
Prawn Clo. *Sel* —3B **10**
Precinct, The. *Bog R* —1H **15**
Preston Av. *Rust* —2D **28**
Preston Paddock. *Rust* —2E **29**
Priestley Way. *Bog R* —4C **18**
Prime Clo. *Walb* —1H **13**
Primrose Clo. *Rust* —6A **24**
Princes Cft. *Bog R* —4C **14**
Princes Marina Ho. *Rust*
—4C **28**
Princess Av. *Bog R* —6B **16**
Priors Waye. *Bog R* —4C **14**
Priory Clo. *Bog R* —5D **14**
Priory La. *Chich* —2E **7**
Priory Rd. *Arun* —6B **20**
Priory Rd. *Chich* —2E **7**
Priory Rd. *Rust* —1B **28**
Promenade. *Bog R* —5H **17**
Promenade, The. *Lit* —4G **27**
Providence, The. *Chich* —3D **6**
Pryors Grn. *Bog R* —3E **15**
Pryors La. *Bog R* —4E **15**
Pulborough Way. *Bog R* —3C **18**
Purbeck Pl. *Lit* —2E **27**
Pyrford Clo. *Bog R* —3D **14**

Quarry La. *Chich* —4G **7**
Quarry La. Ind. Est. *Chich*
—4G **7**

Quayside. *Lit* —2D **26**
Queen's Av. *Chich* —5D **6**
Queen's Fields E. *Bog R*
—1H **15**
Queens Fields Wlk. *Bog R*
—1H **15**
Queen's Fields W. *Bog R*
(in two parts) —1G **15**
Queens Gdns. *Chich* —5D **6**
Queens La. *Arun* —5D **20**
Queensmead. *Bog R* —5B **14**
Queen's Sq. *Bog R* —5E **17**
Queen St. *Arun* —4D **20**
Queen St. *Lit* —2F **27**
Queensway. *Aldw* —4G **15**
Queensway. *Bog R* —5D **16**
Quest Clo. *Chich* —3F **7**

Rackham Rd. *Rust* —4B **28**
Radford Rd. *Bog R* —3C **16**
Raleigh Rd. *Bog R* —2D **14**
Ramilies Gdns. *Bog R* —4B **18**
Ranworth Clo. *Bog R* —3G **17**
Ratham La. *Bosh* —1C **4**
Raughmere Ct. *Lav* —2D **2**
Raughmere Dri. *Lav* —3D **2**
Ravens Way. *Bog R* —2C **16**
Raycroft Clo. *Bog R* —3H **15**
Rayden Clo. *Lit* —2G **27**
Rectory La. *Ang* —4F **25**
Rectory La. *Sel* —1E **11**
Redhouse Farm Cvn. Site. *Earn*
—2H **9**
Redwing Clo. *Wick* —5E **23**
Redwood Ct. *Lit* —2G **27**
Redwood Pl. *Bog R* —3G **15**
Reef Clo. *Lit* —4H **27**
Regents Way. *Bog R* —1H **15**
Regis Av. *Bog R* —5D **14**
Regis Ct. *Bog R* —5E **17**
Regnum Cotts. *Chich* —5E **3**
Renoir Ct. *Bog R* —2B **16**
Renoir M. *Bog R* —2B **16**
Rew La. *Chich* —4D **2**
Richmond Av. *Bog R* —5B **16**
Richmond Av. *Chich* —6E **3**
Richmond Av. W. *Bog R*
—6B **16**
Richmond Clo. *Rust* —1E **29**
Richmond Rd. *Bog R* —5D **16**
Richmond Rd. N. *Bog R*
—4E **17**
Ridgeway, The. *Bog R* —5A **18**
Ridgeway, The. *Chich* —2C **6**
(off Oliver Whitby Rd.)
Ridings, The. *Bog R* —4E **15**
Ridings, The. *E Pre* —3F **29**
Rife La. *Sel* —3A **10**
Rife Way. *Bog R* —4G **17**
Ripon Gdns. *Bog R* —2G **15**
River Rd. *Arun* —5D **20**
(in two parts)
River Rd. *Lit* —2E **27**
Riverside. *Chich* —2F **7**
Riverside Cvn. Cen. *Bog R*
—1E **17**
Riverside Ind. Est. *Clim* —1D **26**
Robin Clo. *Wick* —5E **23**
Robin's Clo. *Sel* —3D **10**
Robins Dri. *Bog R* —2F **15**
Rochester Clo. *Chich* —6D **2**
Rochester Way. *Bog R* —2G **15**
Rockall Clo. *Lit* —1B **28**
Rock Gdns. *Bog R* —6B **16**
Rodney Clo. *Bog R* —2E **15**
Rodney Cres. *Ford* —5A **22**

Rollaston Pk.—Spinney, The

Rollaston Pk. *Ford* —6H **13**
Roman Acre. *Wick* —1E **27**
Roman Landing. *W Wit* —1A **8**
Roman Way. *Chich* —3H **5**
Romney Broadwalk. *Bog R*
—2C **16**
Romney Gth. *Sel* —4E **11**
Rookwood Rd. *W Wit* —1B **8**
Rope Wlk. *Lit* —2E **27**
Rose Av. *Bog R* —4E **19**
Rose Cotts. *Bar* —4E **13**
Rose Grn. Rd. *Bog R* —2E **15**
Rosemary Clo. *Bog R* —2E **15**
Rosemead. *Lit* —2G **27**
Rossalyn Clo. *Bog R* —2D **14**
Ross Clo. *Bog R* —3D **14**
Rosvara Av. *Wes* —2A **12**
Roundle Av. *Bog R* —4A **18**
Roundle Rd. *Bog R* —4B **18**
Roundle Sq. *Bog R* —4A **18**
Roundle Sq. Rd. *Bog R* —4A **18**
Round Piece. *Sel* —3B **10**
Round Piece La. *Sel* —3A **10**
Roundstone By-Pass. *E Pre*
—6F **25**
Roundstone Cres. *E Pre* —1F **29**
Roundstone Dri. *E Pre* —1F **29**
Roundstone Ho. Cvn. Pk. E Pre
—6H **25**
(off Old Worthing Rd.)
Roundstone La. *Ang* —4G **25**
Roundstone Way. *Sel* —3E **11**
Roundway, The. *Rust* —3D **28**
Rowan Way. *Bog R* —1C **16**
Royal Clo. *Chich* —3G **7**
Royal Pde. *Bog R* —2B **16**
Royce Clo. *W Wit* —2B **8**
Royce Way. *W Wit* —2B **8**
Roystons, The. *E Pre* —3F **29**
Rucrofts Clo. *Bog R* —2H **15**
Rudgwick Clo. *Rust* —3B **28**
Rudwick's Clo. *Bog R* —5B **18**
Rudwick's Way. *Bog R* —5B **18**
Ruislip Gdns. *Bog R* —3E **15**
Rumbolds Clo. *Chich* —4G **7**
Runnymede Ct. *Bog R* —3A **16**
Rusbridge Clo. *Bog R* —1F **15**
Ruskin Clo. *Sel* —4E **11**
Russell Rd. *W Wit* —4D **8**
Russell's Clo. *E Pre* —1H **29**
Russell St. *Chich* —3G **7**
Rustington By-Pass. *Lit* —6H **23**
Rustington Trad. Est. *Rust*
—6C **24**
Ruston Av. *Rust* —2D **28**
Ruston Pk. *Rust* —2E **29**
Rutland Way. *Chich* —1H **7**
Rydal Clo. *Lit* —1A **28**

Saddle La. *Sel* —3C **10**
Sadler St. *Bog R* —6D **16**
Sadlers Wlk. *Chich* —3E **7**
St Anthony's Wlk. *Bog R*
—2F **15**
St Anthonys Way. *Rust* —1D **28**
St Augustine Rd. *Lit* —3G **27**
St Bartholomews Clo. *Chich*
—3C **6**
St Catherine's Rd. *Lit* —3F **27**
St Christopher's Clo. *Chich*
—3A **6**
St Claire Ter. *Bog R* —5D **16**
St Clare's Gdns. *Bog R* —2B **16**
St Cyriacs. *Chich* —2E **7**
St Flora's Clo. *Lit* —2H **27**
St Flora's Rd. *Lit* —2H **27**

St George's Clo. *Sel* —3E **11**
St George's Dri. *Chich* —6D **6**
St George's Wlk. *East* —2C **12**
St Hildas Clo. *Sel* —5C **10**
St Itha Clo. *Sel* —5D **10**
St Itha Rd. *Sel* —5D **10**
St James Rd. *Chich* —2G **7**
St James's Ind. Est. *Chich*
—2G **7**
St James Sq. *Chich* —2G **7**
St John's Clo. *Ald* —4A **12**
St John's Clo. *Bog R* —1H **15**
St Johns St. *Chich* —3E **7**
St Margarets Ct. *Ang* —3F **25**
St Martin's La. *Lit* —2F **27**
St Martin's Rd. *Lit* —2F **27**
St Martins Sq. *Chich* —2E **7**
St Martins St. *Chich* —3E **7**
St Mary's Clo. *Bog R* —3E **17**
St Marys Clo. *Lit* —2G **27**
St Mary's Dri. *E Pre* —2F **29**
St Marys Gdns. *Lit* —2G **27**
St Mary's Lodge. *Chich* —2E **7**
St Marys Way. *Lit* —2G **27**
St Nicholas Ct. *Bog R* —4E **19**
St Nicholas La. *Bog R* —4E **19**
St Nicholas Rd. *Lav* —1C **2**
St Pancras. *Chich* —3F **7**
St Paul's Gdns. *Chich* —2D **6**
St Paul's Rd. *Chich* —1C **6**
St Peters. *Chich* —2E **7**
St Peters Clo. *Bog R* —1G **15**
St Peter's Cres. *Sel* —3D **10**
St Richard's Dri. *Bog R* —2F **15**
St Richards Rd. *Wes* —2B **12**
St Richard's Wlk. *Chich* —3D **6**
St Richard's Way. *Bog R*
—2F **15**
St Thomas Ct. *Bog R* —5C **14**
St Thomas Dri. *Bog R* —5B **14**
St Wilfred's Clo. *Sel* —3F **11**
St Wilfreds Vw. *Sel* —5B **10**
St Wilfrid Rd. *Chich* —2B **6**
St Winefride's Rd. *Lit* —3G **27**
St Winifred's Clo. *Bog R*
—6C **16**
Salisbury Way. *Chich* —6D **2**
Salthill La. *Chich* —1A **6**
Salthill Pk. *Chich* —1H **5**
Salthill Rd. *Chich* —3H **5**
Saltings, The. *Lit* —1A **28**
Sandfield Av. *Wick* —5F **23**
Sandpiper Ct. *E Wit* —5F **9**
Sandringham Clo. *Bra B* —6G **9**
Sandringham Rd. *Chich* —3G **7**
Sandringham Way. *Bog R*
—4C **16**
Sandymount Av. *Bog R* —3C **16**
Sandymount Clo. *Bog R* —2D **16**
Sandy Point La. *Sel* —3A **10**
Sandy Rd. *Bog R* —6C **14**
Sarisbury Clo. *Bog R* —3H **17**
Satinwood Clo. *Bog R* —3D **18**
Saxon Clo. *Bog R* —5B **14**
Saxon Clo. *E Pre* —6H **25**
School La. *Arun* —5D **20**
School La. *Bosh* —3C **4**
School La. *East* —2C **12**
School La. *Sel* —3C **10**
Schooner Ct. *Lit* —1A **28**
Scott Clo. *Bog R* —6D **16**
Scotts Farm Cvn. Pk. *W Wit*
—3D **8**
Scott St. *Bog R* —6D **16**
Sea Av. *Rust* —3D **28**
Sea Clo. *Bog R* —4D **18**
Seacourt Clo. *Bog R* —4F **15**

Sea Dri. *Bog R* —5B **18**
Seafield Clo. *E Wit* —5F **9**
Seafield Clo. *Rust* —3C **28**
Seafield Rd. *E Pre* —3F **29**
Seafield Rd. *Rust* —3C **28**
Seafields. *Bra B* —6G **9**
Seafield Way. *E Wit* —5F **9**
Seaford Clo. *Lit* —3H **27**
Seagate Ct. *W Wit* —5D **8**
Seagate Wlk. *Lit* —3A **28**
Sea Gro. *Sel* —5B **10**
Seagull Clo. *Sel* —2A **10**
Sea La. *E Pre* —3F **29**
Sea La. *Mid S* —4D **18**
Sea La. *Pag* —5B **14**
Sea La. *Rust* —4B **28**
Sea La. Clo. *E Pre* —2F **29**
Seal Rd. *Sel* —5C **10**
Seal Sq. *Sel* —6C **10**
Sea Rd. *Bog R* —5G **17**
Sea Rd. *E Pre* —2G **29**
Sea Rd. *E Pre & Rust* —4H **27**
Seaton Clo. *Wick* —5F **23**
Seaton La. *Wick* —5F **23**
Seaton Pk. *Wick* —5F **23**
Seaton Rd. *Wick* —5F **23**
Seaview Av. *E Pre* —3G **29**
Seaview Ct. *Sel* —6C **10**
Seaview Gdns. *Rust* —3C **28**
Seaview Rd. *E Pre* —3F **29**
Seaward Dri. *W Wit* —2B **8**
Seawaves Clo. *E Pre* —2G **29**
Sea Way. *Elmer* —4G **19**
Sea Way. *Mid S* —5C **18**
Sea Way. *Pag* —5B **14**
Second Av. *Bog R* —5A **18**
Second Av. *Bra B* —6G **9**
Sefter Rd. *Bog R* —1D **14**
Sefton Av. *Bog R* —2F **15**
Selborne Rd. *Lit* —3G **27**
Selborne Way. *E Pre* —2F **29**
Selden La. *Pat* —1H **25**
Selham Clo. *Chich* —4E **3**
Selhurst Clo. *E Pre* —2F **29**
Selsey Av. *Bog R* —6B **16**
Selsey Rd. *Chich* —6C **6**
(PO19)
Selsey Rd. *Chich* —6F **7**
(PO20)
Selway La. *Lit* —1H **27**
Selwyn Av. *Wick* —6F **23**
Selwyn Clo. *Bog R* —1H **15**
Senator Gdns. *Chich* —2H **5**
Servite Clo. *Bog R* —4C **16**
Sevenacres Cvn. Pk. *Clim*
—1H **19**
Sextant Ct. *Lit* —1A **28**
Shaftesbury Ct. *Rust* —3C **28**
Shaftesbury Rd. *Rust* —3C **28**
Shalbourne Cres. *Bra B* —6H **9**
Shamrock Clo. *Bosh* —4C **4**
Shamrock Clo. *Chich* —1F **7**
(in two parts)
Shannon Clo. *Lit* —3A **28**
Shardeloes Rd. *Ang* —3F **25**
Shaw Clo. *Bog R* —4E **19**
Shearwater Dri. *Bog R* —2D **16**
Sheep Fold Av. *Rust* —1E **29**
Sheepwash La. *E Lav* —2D **2**
Shelley Rd. *Bog R* —5C **16**
Sherborne Rd. *Chich* —3C **6**
Sherbourne La. *Sel* —3A **10**
Sherlock Av. *Chich* —2C **6**
Sherwood Clo. *Bog R* —2B **16**
Sherwood Rd. *Bog R* —3G **15**
Shingle Wlk. *E Wit* —5E **9**
Shipfield. *Bog R* —3H **15**

Shirley Clo. *Bog R* —5C **14**
Shirley Clo. *Rust* —3D **28**
Shirley Dri. *Bog R* —2H **17**
Shirleys Garden. *Bog R* —4A **18**
Shopfield Clo. *Rust* —1C **28**
Shop La. *E Lav* —2E **3**
Shopwhyke Rd. *Chich* —3H **7**
Shorecroft. *Bog R* —4H **15**
Shore Rd. *Bosh* —5A **4**
(in two parts)
Shore Rd. *E Wit* —5D **8**
Shoreside Wlk. *E Wit* —5E **9**
Short Furlong. *Lit* —2H **27**
Shripney La. *Bog R* —1C **16**
Shripney Rd. *Bog R* —3E **17**
(in two parts)
Shrubbs Dri. *Bog R* —4D **18**
Silver Birch Dri. *Bog R* —3D **18**
Silverdale Clo. *Bog R* —5C **14**
Silverston Av. *Bog R* —6B **16**
Singleton Clo. *Bog R* —4D **14**
Slattsfield Clo. *Sel* —4E **11**
Smallcroft Clo. *Lit* —2E **27**
Snakes La. *Lav* —3C **2**
Snowdrop Clo. *Rust* —6B **24**
Solent Clo. *Lit* —6A **24**
Solent Rd. *E Wit* —5E **9**
Solent Way. *Sel* —6C **10**
Solway Clo. *Lit* —2A **28**
Somerset Gdns. *Bog R* —3D **16**
Somerset Rd. *E Pre* —1H **29**
Somerstown. *Chich* —1D **6**
Somerton Grn. *Bog R* —3G **17**
South Av. *Bog R* —2H **15**
South Bank. *Chich* —5D **6**
S. Bersted Ind. Est. *Bog R*
—2E **17**
S. Coast World. *Bog R* —5F **17**
Southcote Av. *W Wit* —4D **8**
Southcourt Clo. *Rust* —1E **29**
Southdean Clo. *Bog R* —4E **19**
Southdean Dri. *Bog R* —4E **19**
Southdown Rd. *Bog R* —5D **16**
South Dri. *Bog R* —4B **18**
South Dri. *Rust* —6D **24**
Southern Cross Ind. Est. *Bog R*
—1F **17**
Southern Leisure Cen. *Runc*
—6H **7**
Southern Rd. *Sel* —5D **10**
Southfield Ind. Pk. *Bosh* —3B **4**
Southfields Clo. *Chich* —6D **6**
Southfields Rd. *Lit* —2H **27**
Southgate. *Chich* —4D **6**
Southover Rd. *Bog R* —5D **16**
South Pallant. *Chich* —3E **7**
South Pas. *Lit* —3H **27**
South Rd. *Bog R* —3G **17**
S. Strand. *E Pre* —3G **29**
South St. *Chich* —3E **7**
South Ter. *Bosh* —2C **4**
South Ter. *Lit* —3F **27**
(in two parts)
S. View. *E Pre* —3H **29**
Southview Rd. *Bog R* —5A **18**
South Vs. *Bosh* —2C **4**
South Wlk. *Bog R* —4C **18**
South Wlk. *E Pre* —4E **29**
Southwark Wlk. *Bog R* —1G **15**
South Way. *Bog R* —3B **16**
Southway. *Lit* —3H **27**
Sparks Ct. *Lit* —2F **27**
Sparshott Clo. *Sel* —6D **10**
Spencer St. *Bog R* —5E **17**
Spinnaker Clo. *Lit* —1A **28**
Spinney Clo. *Sel* —3C **10**
Spinney, The. *Bog R* —2G **15**